S0-ADB-840

SCOTT COUNTY LIBRARY
SAVAGE, MN 55378

Mi mamá es preciosa

SCOTT COUNTY LIBRARY
SAVAGE, MN 55378

MONTAÑA
ENCANTADA

Dedicado a todas las personas que, con su amor,
nos hicieron sentir que éramos algo precioso para ellas.

Carmen García Iglesias

Mi mamá
es preciosa

EVEREST

4

CUANDO LLEGO AL COLEGIO, ALGUNOS
NIÑOS ME DICEN:
—¡QUÉ GORDA ES TU MAMÁ!
Y SE ESCAPAN RIENDO.

CUANDO PASEAMOS JUNTAS POR LA CALLE, ALGUNAS PERSONAS SE GIRAN Y MIRANDO A MI MAMÁ CUCHICHEAN: —¡PERO QUÉ GORDA!

ABIERTO

SI ESTAMOS COMIENDO EN NUESTRO RESTAURANTE FAVORITO, ALGUNAS PERSONAS QUE ESTÁN EN OTRAS MESAS NOS MIRAN DE REOJO Y SE RÍEN POR LO BAJO:
—¡SE NOTA QUE LE GUSTA MUCHO COMER! —DICEN CON LA BOCA LLENA

A VECES, EN LAS TIENDAS DE
ROPA, LAS DEPENDIENTAS
MIRAN A MI MAMÁ Y
ENSEGUIDA SE DAN LA
VUELTA.

—¡SEGURO QUE USA UNA
TALLA 100! —DICEN
DÁNDONOS LA ESPALDA.

LO QUE NO SABEN LOS NIÑOS DEL COLEGIO, ES QUE CUANDO MI MAMÁ ME LLEVA POR LAS MAÑANAS, Y VAMOS COGIDAS DE LA MANO, YO NOTO QUE MI MANITA TAN PEQUEÑA ESTÁ TODA PROTEGIDA POR LA MANO TAN REDONDA DE MI MAMÁ, Y ME SIENTO SEGURA.

LO QUE NO SABEN LAS PERSONAS QUE
NOS CRUZAMOS POR LA CALLE, ES QUE
CUANDO NOSOTRAS VAMOS DE PASEO
ANDAMOS TRANQUILAS,

DISFRUTANDO DE TODO
LO QUE NOS ENCONTRAMOS,
DESPACITO. MI MAMÁ NUNCA
TIENE PRISA.

LO QUE NO SABEN LOS QUE HABLAN CON
LA BOCA LLENA, ES QUE CUANDO MI
MAMÁ Y YO VAMOS AL
RESTAURANTE ES COMO UN
DÍA DE FIESTA. UNA FIESTA
QUE NOSOTRAS NOS
HEMOS INVENTADO.

Y CADA PLATO QUE NOS TRAEN LO
DISFRUTAMOS, LO MIRAMOS, LO OLEMOS,

Y NOS LO COMEMOS COMO SI FUERA LA COMIDA MÁS RICA QUE HUBIÉRAMOS PROBADO NUNCA.

LO QUE NO SABEN LAS DEPENDIENTAS DE
LA TIENDA ES QUE MI MAMÁ LLEVA LOS
VESTIDOS MÁS BONITOS, LOS COLORES
MÁS ALEGRES Y LAS TELAS MÁS
PRECIOSAS QUE NUNCA SE VIERON.

Y CUANDO ELLA SE PONE GUAPA PARA VENIR A RECOGERME AL COLEGIO, PARECE UNA PRINCESA SACADA DE UN CUENTO.

LO QUE NO SABE NADIE ES QUE POR LA NOCHE, ANTES DE DORMIRME, CUANDO MI MAMÁ SE TUMBA UN RATO A MI LADO, SU ABRAZO ES TAN SUAVE Y TAN BLANDITO

QUE SIENTO COMO SI ME HUNDIERA ENTRE
NUBES DE ALGODÓN. Y SU OLOR ES TAN
DULCE QUE MIS SUEÑOS SON SIEMPRE
FELICES.

POR ESO, AL DESPERTAR, CUANDO LA MIRO A MI LADO, SIEMPRE PIENSO:

MI MAMÁ ES PRECIOSA

Desde que recuerdo siempre he estado dibujando. Entonces dibujaba barcos, ahora dibujo cuentos. Entre tanto estudié Historia del arte en la universidad y Dibujo publicitario en la escuela de artes y oficios. Mi trabajo tiene siempre un público muy selecto: los niños. Para ellos he leído libros y los he comentado, he dibujado pasatiempos en un suplemento infantil,

incluso he hecho trabajos manuales y los
he enseñado en un programa de televisión;
además he escrito algunas historias, las he
ilustrado; me he ido de visita a colegios
y a ferias de libros para hablar sobre ellas.
Me encantan los animales, estar con mis
hijos y dibujar todos los días.

Carmen García Iglesias

2455

Dirección editorial: Raquel López Varela
Coordinación editorial: Ana María García Alonso
Maquetación: Cristina A. Rejas Manzanera
Diseño de cubierta: Jesús Cruz

No está permitida la reproducción total o parcial de este libro,
ni su tratamiento informático, ni la transmisión de ninguna forma
o por cualquier medio, ya sea electrónico, mecánico, por fotocopia,
por registro u otros métodos, sin el permiso previo y por escrito
de los titulares del Copyright. Reservados todos los derechos, incluido
el derecho de venta, alquiler, préstamo o cualquier
otra forma de cesión del uso del ejemplar.

CUARTA EDICIÓN

© Carmen García Iglesias
© EDITORIAL EVEREST, S. A.
Carretera León-La Coruña, km 5 - LEÓN
ISBN: 84-241-8107-7
Depósito legal: LE. 29-2005
Printed in Spain - Impreso en España
EDITORIAL EVERGRÁFICAS, S. L.
Carretera León-La Coruña, km 5
LEÓN (España)
Atención al cliente: 902 123 400
www.everest.es

2455033